Quiz-Spiel »Mini's«

benno

100 Fragen & Antworten
7 Schwierigkeitsstufen

Wer sammelt die meisten Punkte und gewinnt beim Quiz-Spiel?

Die richtige Antwort erfährt man auf der Rückseite der jeweiligen Karte, zusammen mit einer ausführlichen Erklärung.

Das Quiz-Spiel kann mit Freunden und in Gruppen gespielt werden. Die Fragen können gegenseitig gestellt werden, und für jede richtige Antwort erhalten die MitspielerInnen die der Schwierigkeitsstufe entsprechende Punktzahl.

?

1 Welcher der genannten Teile gehört zum Wortgottesdienst?

- **a** Glaubensbekenntnis
- **b** Vermeldungen
- **c** Lesung
- **d** Hochgebet

2 Wer gehört nicht zu den Evangelisten?

- **a** Paulus
- **b** Johannes
- **c** Matthäus
- **d** Lukas

1 2 3 4 5 6 7

1 **c Lesung** Diese ist unterteilt in 1. Lesung – aus dem Alten Testament oder der Apostelgeschichte, 2. Lesung aus den Briefen oder der Offenbarung und 3. in das Evangelium.

2 **a Paulus** Obwohl er sehr wichtige Schriften, nämlich die Briefe, verfasst hat, die auch zu den ersten schriftlichen Zeugnissen der Christenheit gehören, zählt er nicht zu den Evangelisten, da er nicht das Leben Jesu aufgeschrieben hat.

?

3 Wie heißt der tresorartige Schrank, in dem das heilige Brot aufbewahrt wird?

- **a** Tabernakel
- **b** Monstranz
- **c** Sakristei
- **d** Aspergill

4 Wozu dient das rote Licht in der Nähe des Tabernakels?

- **a** zeigt das Ende des Gottesdienstes an
- **b** Notbeleuchtung
- **c** weist auf die Gegenwart Christi hin
- **d** erinnert an den Stern von Betlehem

1 2 3 4 5 6 7

3 **a Tabernakel** mittel-lat. »Schauhütte«. Dort werden die geweihten Hostien aufbewahrt, um Gottes Gegenwart in der Kirche zu bezeugen.

4 **c weist auf die Gegenwart Christi hin** Zeigt nach außen die Gegenwart Gottes im geweihten Brot im Tabernakel. Das »ewige Licht« weist auch im Judentum in der Synagoge auf die Gegenwart Gottes hin.

?

5 Wie nennt man die Schriftauslegung während des Gottesdienstes?

a Epistel
b Predigt
c Credo
d Vermeldung

6 Wie nennt man die Gebete nach dem Glaubensbekenntnis für verschiedene Anliegen?

a Fürbitten
b Hochgebete
c Kyrie
d Tagesgebete

1 2 3 4 5 6 7

5 **b Predigt** Nach dem Evangelium legt der Priester oder ein Beauftragter die Schriften aus und weist auf die Anwendung im Leben hin.

6 **a Fürbitten** Dabei wird für alle möglichen Anliegen gebetet: für die Kirche, die Politiker, die Armen, die Kranken, Toten… Im Mittelpunkt sollten aber andere Menschen stehen, und nicht die eigene Person oder Gemeinde, weil das im Kyrie stattfindet.

?

7 Bei welcher Gelegenheit werden bei der Messe Gong oder Schellen verwendet?

a vor dem Evangelium
b bei der Predigt
c bei der Wandlung
d beim Dankgebet

8 Was gehört nicht zur Taufe?

a Chrisam
b Weißes Kleid
c Ring
d Wasser

1 2 3 4 5 6 7

7 **c bei der Wandlung** Wenn der Priester Brot und Wein emporhebt (regional unterschiedlich: auch zum Beginn und Ende der Wandlung) kann die Bedeutung durch die Schellen oder den Gong verstärkt werden. Zu Ostern kann zum Gloria geläutet werden.

8 **c Ring** Dieser gehört zur Eheschließung (Ringe) oder zur Bischofsweihe.

9 Wer entzündet die Taufkerze und woran?

a der Priester an den Altarkerzen
b der Pate/die Patin an der Osterkerze
c die Eltern an der Brautkerze
d der Küster mit Streichhölzern

10 Welcher Teil von Jesu Leben wird oft in 14 Bildern an den Wänden der Kirchen dargestellt?

a die Geburt Jesu
b die 14 Apostel
c 14 verschiedene Wunder
d die Passion

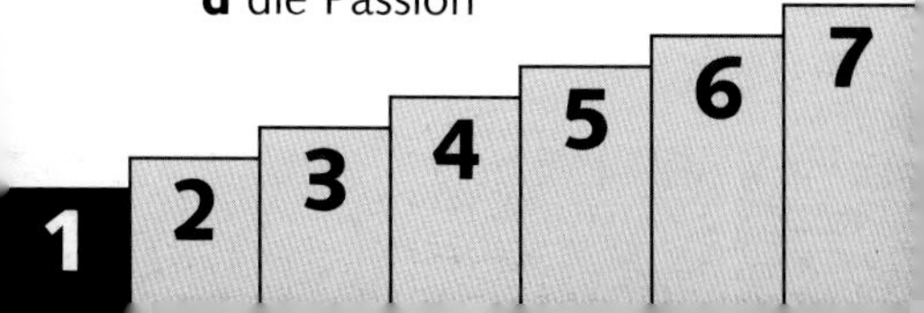

9 **b der Pate/die Patin an der Osterkerze** Die Osterkerze ist das Symbol für Jesus als das Licht der Welt. Die Taufkerze soll zeigen, dass dieses Licht das Leben des Täuflings begleitet.

10 **d die Passion** Kreuzweg wird diese Darstellung und die dazugehörige Andacht bzw. das Gebet genannt. Sie geht zurück auf den Weg, den Jesus in Jerusalem von seiner Verurteilung bis zum Tod gehen musste.

?

11 Was sagt man, wenn man vor dem Gottesdienst die Sakristei betritt?

- **a** Guten Tag!
- **b** Gelobt sei Jesus Christus!
- **c** Der Herr sei mit euch!
- **d** Grüß Gott!

12 Wie heißt der strickartige Gürtel, der um die Ministrantenalbe getragen wird?

- **a** Stola
- **b** Zingulum
- **c** Ziborium
- **d** Schola

1 2 3 4 5 6 7

11 **b Gelobt sei Jesus Christus!** Die schon Anwesenden antworten: In Ewigkeit, Amen! Diese Formel besagt, dass man zum Dienst an Gott und der Liturgie zusammenkommt und sich darauf in der Sakristei vorbereitet.

12 **b Zingulum** Wenn die Ministranten, wie es heute oft üblich ist, eine Albe oder Tunika tragen, dann kann das Zingulum umgebunden werden, es ist oft auch in den liturgischen Farben vorhanden.

?

13 Welches liturgische Kleidungsstück können Ministranten anziehen?

a Stola
b Talar
c Messgewand
d Mitra

14 Wann knien die Ministranten und die Gläubigen nieder?

a zum Evangelium
b vor dem Vaterunser
c nach dem Sanctus
d nach dem Credo

1 2 3 4 5 6 7

13 **b Talar** Eine gebräuchliche Ministrantenkleidung ist der Talar in den liturgischen Farben oder schwarz mit dem Chorrock (Rochette) in Weiß darüber.

14 **c nach dem Sanctus** Da beginnt das Hochgebet mit den Einsetzungsworten, an welchem in ehrfürchtiger Gebetshaltung teilgenommen wird. Außerdem kniet man meist noch zum Vorbereitungsgebet (»Herr, ich bin nicht würdig…«) und zum Gebet vor und nach dem Gottesdienst sowie nach der Kommunion.

15 Wie heißt das offizielle Gesangbuch der katholischen Kirche?

a Laudate
b Gotteslob
c Katholisches Gesangbuch
d Poverello

16 Wer spendet normalerweise die Firmung?

a der Bischof
b der Pfarrer
c der Kaplan
d der Generalvikar

15 **b Gotteslob** Seit 1975 löste das Gotteslob die regionalen Gesang- und Gebetbücher in allen deutschsprachigen Diözesen (außer in der Schweiz) ab.

16 **a der Bischof** Ursprünglich war der Bischof der Leiter der Gemeinde, die anderen Geistlichen seine Gehilfen. Davon leitet sich ab, dass der Bischof heute noch dieses Sakrament spendet und damit die Jugendlichen, zu verantwortlichen Mitgliedern der Kirche werden.

1 Wie nennt man das Lesepult, von dem aus die Lesungen vorgetragen werden?

- **a** Amboss
- **b** Altan
- **c** Altar
- **d** Ambo

2 Wie heißt das liturgische Gerät, mittels dem die Gläubigen mit Weihwasser besprengt werden?

- **a** Amphore
- **b** Aspergill
- **c** Alkoven
- **d** Ablativ

1 **2** 3 4 5 6 7

1 **d Ambo** mittel-lat. Kanzel, verwandt mit dem griech. Wort anaboein = rufen.

2 **b Aspergill** aus dem lat. aspergere = bespritzen. Der Stab aus Metall besitzt oben eine mit kleinen Öffnungen versehene Kugel mit einem Schwamm.

3 Wie heißt der breite, meist farbige Schal, den der Priester um die Schulter trägt?

a Stola
b Zingulum
c Talar
d Korporale

4 Bei welchem Anlass wird Chrisam verwendet?

a bei der Wandlung
b bei der Hochzeit
c bei der Taufe
d beim Blasiussegen

1 **2** 3 4 5 6 7

3 **a Stola** von lat. stola = langes Kleid. Amtszeichen des Priesters und des Diakons in den liturgischen Farben.

4 **c bei der Taufe** von griech. chrisma = Salböl. Besteht aus Olivenöl und Balsam. Chrisam als Zeichen der Zugehörigkeit zu Christus wird u. a. auch zur Firmung, Bischofsweihe und zur Weihe von Kirchen, Altären und Glocken verwendet.

?

5 Welche Aufgabe hat der Lektor?

a die Lesungen vorzutragen

b die Kommunion auszuteilen

c die Ministranten zu beaufsichtigen

d die Vermeldungen vorzulesen

6 Was sagt der Lektor nach der Lesung?

a Evangelium unseres Herrn Jesus Christus

b Der Herr sei mit euch

c Wort des lebendigen Gottes

d Friede sei mit euch

1 **2** 3 4 5 6 7

5 **a die Lesungen vorzutragen** Priester und Gemeinde hören sich gemeinsam das Wort Gottes an, welches meist von einem Laien, dem Lektor = Vorleser, vorgetragen wird.

6 **c Wort des lebendigen Gottes** Die Bibel wird insgesamt als Offenbarung Gottes angesehen, welche in verschiedenen Formen und Texten die Beziehung zwischen Gott und Menschen aufzeigt.

?

7 Was antwortet die Gemeinde auf den Ruf des Lektors »Wort des lebendigen Gottes«?

a Gott sei Dank
b Dank sei Gott dem Herrn
c Gelobt sei der Herr
d Und mit deinem Geiste

8 Wie heißt das weiße Untergewand des Priesters?

a Album
b Altan
c Altar
d Albe

7 **b Dank sei Gott dem Herrn**
Die Gemeinde nimmt die Offenbarung des Wirkens Gottes dankbar an.

8 **d Albe** von lat. albus = weiß. Langes Untergewand, welches der Priester bei der Messe und anderen liturgischen Handlungen trägt . Auch der Diakon trägt die Albe. Wird mit einem Gürtel (Zingulum) aufgeschürzt.

?

9 Wie heißt die lateinische Bezeichnung des »Glaubensbekenntnisses«?

a Kyrie
b Benediktus
c Psalm
d Credo

10 An welcher Stelle der Messe werden Leuchter von den Ministranten getragen?

a zum Evangelium
b zur Predigt
c zur Wandlung
d zur Lesung

1 **2** 3 4 5 6 7

9 **d Credo** lat. credo = ich glaube. Das Glaubensbekenntnis umfasst in Kurzform die wichtigsten Punkte des Glaubens anhand der drei göttlichen Personen: Vater, Sohn und Heiliger Geist.

10 **a zum Evangelium** Um die Wichtigkeit des Evangeliums zu unterstreichen, können Ministranten mit Kerzen neben dem Ambo stehen. Bei Einzug, der Gabenbereitung und dem Auszug können die Kerzen ebenfalls getragen werden.

11 Wann findet der Friedensgruß statt?

a nach dem Lamm-Gottes-Gebet
b nach dem Vaterunser
c nach der Kommunion-austeilung
d am Ende der Messe

12 Wie nennt man das Buch, in dem die Gebete für die Messe abgedruckt sind?

a Evangeliar
b Gotteslob
c Messbuch
d Direktorium

1 **2** 3 4 5 6 7

11 **b nach dem Vaterunser** Der Friedensgruß geht auf die Worte Jesu zurück, die er spricht, als er aus Auferstandener in die Mitte seiner Jünger tritt. Der Gruß soll die Gemeinschaft der Gemeinde stärken.

12 **c Messbuch** In diesem sind jeweils für die Sonn- und Feiertage sowie für die Werktage verzeichnet: das Tagesgebet, das Gaben- und Schlussgebet, die Präfationen und die Hochgebete.

?

13 Wie heißen die zwei Hauptteile der Messe?

a Teil 1 und 2
b Wortgottesdienst und Eucharistie
c Predigt und Kommunion
d Lesungen und Wandlung

14 Wann reicht der Ministrant zum ersten Mal das Messbuch?

a nach dem Kreuzzeichen
b nach dem Gloria
c nach der Lesung
d nach der Predigt

13 **b Wortgottesdienst und Eucharistie** Die Messe hat sich entwickelt aus den beiden Teilen: Lesung aus den Heiligen Schriften (Anlehnung an den jüdischen Gottesdienst) und der meist anschließenden Mahlfeier (Anlehnung an das letzte Abendmahl).

14 **b nach dem Gloria** An dieser Stelle folgt das Tagesgebet, wenn kein Gloria gesungen wird (Werktag, Fastenzeit, Advent) folgt es nach dem Kyrie.

?

1 Wie heißt das Gefäß, in dem die Weihrauchkörner aufbewahrt werden, bevor sie ins Weihrauchfass gegeben werden?

a Schüsselchen
b Schiffchen
c Schälchen
d Scheffelchen

2 Wie ist der griechische Name für »Herr, erbarme dich«?

a Kyrie eleison
b Pater noster
c Credo in unum Deum
d Agnus Dei

1 2 **3** 4 5 6 7

1 **b Schiffchen** Das Gefäß hat den Namen von seiner Schiff- oder Boot-ähnlichen Form. Lateinisch heißt es »navicula«.

2 **a Kyrie eleison** Diese griechische Formel des Schuldbekenntnisses wurde schon in die lateinische Messe unverändert übernommen. Es wird meist im Wechsel zwischen Vorsänger (Priester, Kantor, Schola) und Gemeinde gesungen.

?

3 Welcher der genannten Teile gehört zur eigentlichen Eucharistiefeier?

a Tagesgebet
b Hochgebet
c Kyrie
d Gloria

4 Wie heißt die Abstellfläche für die liturgischen Geräte in der Kirche?

a Seitenaltar
b Kredenz
c Ambo
d Lektionar

1 2 3 4 5 6 7

3 **b Hochgebet** Während dieses Gebetes werden die Einsetzungsworte gesprochen, durch die Brot und Wein zu Leib und Blut Christi werden.

4 **b Kredenz** Kleiner Tisch oder Wandbord, auf dem Kelch sowie Wasser und Wein bereitstehen.

?

5 Welche liturgische Farbe ist für die Osternacht vorgesehen?

a Violett
b Rot
c Grün
d Weiß

6 Welche liturgische Farbe herrscht im Advent vor?

a Violett
b Rot
c Gold
d Weiß

1 2 **3** 4 5 6 7

5 **d Weiß** Diese Farbe symbolisiert Reinheit und Unschuld, sie ist die Symbolfarbe für Jesus Christus. Deshalb wird sie an den so genannten »Herrenfesten«, an Marien-, Engel- und Heiligenfesten getragen.

6 **a Violett** Die Farbe steht für Umkehr und Buße und soll das Dunkle gegenüber Jesus, dem Licht der Welt, verdeutlichen. Ausnahme ist der 3. Adventssonntag »Gaudete«, an dem auch Rosa getragen werden kann.

?

7 Wie heißt das Buch, in dem die Lesungen für den Tag verzeichnet sind?

a Bibel
b Lektionar
c Messbuch
d Benediktionale

8 Welcher Gesang folgt nach dem »Kyrie«?

a Gloria
b Sanctus
c Agnus Dei
d Credo

1 2 **3** 4 5 6 7

7 **b Lektionar** Für die jeweiligen Lesejahre sind erste und zweite Lesung sowie das Evangelium für die Lektoren und den Priester in der richtigen Reihenfolge angeordnet.

8 **a Gloria** lat. gloria = Ehre. Dieser Lobgesang geht biblisch auf den Gesang der Engel auf dem Hirtenfeld zurück. In der Advents- und Fastenzeit und werktags wird kein Gloria gesungen.

?

9 Womit beginnt die eigentliche Eucharistiefeier?

a mit der Kollekte
b mit der Gabenbereitung
c mit dem Heilig
d mit dem Vaterunser

10 Wie viele Sakramente gibt es in der katholischen Kirche?

a zwei
b fünf
c sieben
d zwölf

1 2 **3** 4 5 6 7

9 **b mit der Gabenbereitung** Nach den Fürbitten ist der Wortgottesdienst zu Ende und die eigentliche Eucharistiefeier (auch für die gesamte Messe gebraucht) beginnt, indem die Ministranten oder andere Personen die Gaben zum Altar bringen.

10 **c sieben** Sakramente sind äußere Zeichen der inneren Beziehung von Gott und Mensch: Taufe, Beichte, Eucharistie, Firmung, Ehe, Priesterweihe, Krankensalbung.

11 An was erinnern die zwölf Leuchter und die Kreuze an den Seitenwänden der Kirche?

a an die zwölf Stämme Israels
b an die zwölf Körbe Brotkrumen bei der Brotvermehrung
c an die Rauhnächte zwischen Weihnachten und Dreikönige
d an die zwölf Apostel

12 Wann wird das Wasser für den Taufbrunnen geweiht?

a Weihnachten
b Mariä Lichtmess
c Gründonnerstag
d in der Osternacht

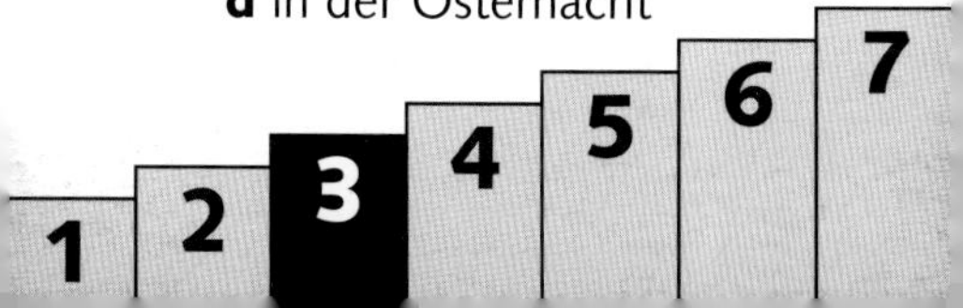

11 **d an die zwölf Apostel** Die Symbole sollen verdeutlichen, dass die Kirche auf dem Glauben der Apostel ruht, die damit Säulen oder Stützen der Kirchen sind.

12 **d in der Osternacht** Das Wasser wird zeichenhaft durch das Eintauchen der neuen Osterkerze – als Symbol für den auferstandenen Christus – in den Taufbrunnen geweiht. Es wird aber nur in der Osterzeit verwendet, bei Taufen außerhalb dieser Zeit wird das Wasser neu geweiht.

?

13 Wie heißt der große Speisekelch mit Deckel, der im Tabernakel verwahrt wird?

a Monstranz
b Albe
c Korporale
d Ziborium

14 Wie wird der Vortragekreuzträger noch genannt?

a Kruzifer
b Christofer
c Zerofer
d Navikular

1 2 **3** 4 5 6 7

13 **d Ziborium** Oft bleiben konsekrierte Hostien übrig. Sie werden im Speisekelch im Tabernakel verwahrt, dort können sie wieder genommen werden, wenn sie gebraucht werden, z. B. zur Krankenkommunion.

14 **a Kruzifer** von lat. crux = Kreuz und ferre = tragen. Bei feierlichen Gottesdiensten geht der Kreuzträger hinter den Ministranten mit dem Weihrauch (Thuriferar und Navikular). Das Kreuz wird im Altarraum aufgestellt.

?

1 Welcher Gegenstand gehört nicht zur Gabenbereitung?

a Lavabotuch
b Patene
c Monstranz
d Ziborium

2 Auf wen geht der Text des »Lamm Gottes« zurück?

a Johannes der Täufer
b Petrus
c Paulus
d Maria

1 2 3 **4** 5 6 7

1 **c Monstranz** Das liturgische Gerät zum »Zeigen« (monstrare = lat. zeigen) des heiligen Brotes, wird nur bei besonderen Segnungen und zur eucharistischen Anbetung verwendet.

2 **a Johannes der Täufer** Er sieht, wie sich der Heilige Geist in Form einer Taube auf Jesus hinabsenkt, und spricht zu seinen Jüngern die Worte: »Seht, das Lamm Gottes…« (Joh 1, 29 u. 1, 36)

?

3 Wie heißt das Tuch, welches zu Beginn der Gabenbereitung auf dem Altar ausgebreitet wird?

- **a** Ziborium
- **b** Patene
- **c** Korporale
- **d** Albe

4 Wie heißt das Tuch, mit dem sich der Priester nach der Handwaschung abtrocknet?

- **a** Lavabotuch
- **b** Pallium
- **c** Velum
- **d** Kredenz

3 **c Korporale** von lat. corpus = Leib, weist auf den Zweck hin, dass auf dem Tuch Kelch und Hostienschale abgestellt werden.

4 **a Lavabotuch** aus dem lat. lavabo = ich will waschen. Bei der Handwaschung soll symbolisch die Schuld abgewaschen werden.

?

5 Bei welchem Teil der Messe kann Weihrauch verwendet werden?

a beim Schluss-Segen
b vor der 1. Lesung
c bei der Wandlung
d zum Glaubensbekenntnis

6 Welche liturgische Farbe trägt der Priester zum Pfingstfest?

a Weiß
b Rot
c Grün
d Gold

1 2 3 **4** 5 6 7

5 **c bei der Wandlung** Weihrauch soll die Feierlichkeit des Geschehens sinnlich fassbar machen und die Verehrung Gottes zum Ausdruck bringen. Üblich ist es, vor Beginn den Altar zu inzensieren (beweihräuchern), vor dem Evangelium, vor dem Hochgebet und bei der Wandlung.

6 **b Rot** Es ist die Farbe des Blutes und des Feuers, deshalb auch Symbolfarbe für den Heiligen Geist, der am Pfingstfest auf die Apostel herabgekommen ist.

?

7 Welche liturgische Farbe wird an normalen Sonntagen getragen?

a Weiß
b Violett
c Grün
d was er möchte

8 Wie trägt der Diakon die Stola?

a Quer, von der linken Schulter nach rechts unten
b ein Ende nach vorn, eins nach hinten
c wie der Priester um den Hals, die Stola ist nur schmaler
d von der rechten Schulter nach links unten

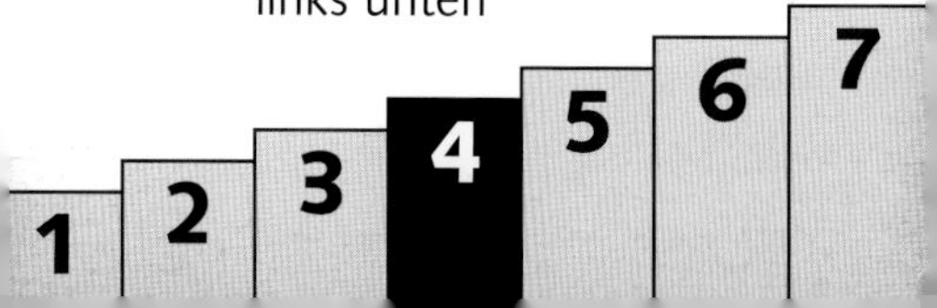

7 **c Grün** Als Farbe für das Leben wird Grün an allen Sonntagen im Jahreskreis, an denen kein besonderes Fest gefeiert wird, getragen.

8 **a Quer, von der linken Schulter nach rechts unten** Die Stola ist das Zeichen der Weihe, als Unterschied zum Priester, wird sie aber quer getragen.

?

9 Welche liturgische Farbe ist am 1. Weihnachtsfeiertag üblich?

a Grün
b Rot
c Weiß
d Violett

10 Warum wird bei den Christen am Sonntag die hl. Messe gefeiert?

a es ist der Auferstehungstag
b es ist der Wochentag
c weil Jesus am Sonntag vor dem Paschafest das letzte Abendmahl gefeiert hat
d weil es der siebente Schöpfungstag ist

1 2 3 **4** 5 6 7

9 **c Weiß** Als Zeichen der Unschuld und der Reinheit ist Weiß an allen Christus-Festen vorgesehen.

10 **a weil es der Auferstehungstag Jesu ist** Bei den Juden war der Sabbat – unser Samstag – der Ruhetag (siehe Schöpfungsgeschichte). Die Christen feierten aber den Sonntag als Tag der Auferstehung, obwohl er bis zum Jahr 321 ein Arbeitstag war.

?

11 Welche der folgenden Handlungen gehört zur Taufe?

a Bezeichnung mit einem Kreuz
b Eltern und Paten bekommen die Kommunion
c Übergabe der Taufbibel
d Einsammeln der Kollekte

12 Wie heißt das Tuch in der jeweiligen liturgischen Tagesfarbe, mit dem der Kelch zugedeckt ist?

a Kelchtuch
b Kelchvelum
c Kelchalbe
d Kelchstola

11 **a Bezeichnung mit einem Kreuz** Priester, Eltern und Paten bezeichnen den Täufling mit einem Kreuz, um ihn in der Gemeinde als Christ willkommen zu heißen.

12 **b Kelchvelum** Wenn der Kelch auf der Kredenz steht, ist er mit diesem Tuch zugedeckt, welches die Ministranten abnehmen, wenn der Kelch zum Altar gebracht wird.

13 An welchem Tag wird keine Orgel gespielt?

- **a** Neujahr
- **b** Palmsonntag
- **c** Karfreitag
- **d** Fronleichnam

14 Welches Gebet wird beim Rosenkranz am meisten gesprochen?

- **a** Vater unser
- **b** Gegrüßet seist du Maria
- **c** Engel des Herrn
- **d** Ehre sei dem Vater

13 **c Karfreitag** Am Sterbetag von Jesus Christus verzichtet die Liturgie auf alle Feierlichkeit und Ausschmückung, so stehen auch keine Blumen und Kerzen auf dem Altar.

14 **b Gegrüßet seist du Maria** Das Gebet wird insgesamt 53 mal innerhalb des Rosenkranzgebetes gesprochen

?

1 Woher stammt der Gloria-Text?

a Psalmtext aus dem Alten Testament

b Gesang der Engel auf dem Hirtenfeld

c Gebet, welches Jesus den Jüngern lehrte

d ostkirchlicher Gesang aus dem 2. Jh.

2 Wie heißt das Verbrennen von Weihrauch im Kirchenraum?

a inszenieren

b insistieren

c inzensieren

d imprägnieren

1 2 3 4 5 6 7

1 **b Gesang der Engel auf dem Hirtenfeld** Bei Lk 2, 1ff verkündet ein Engel die Geburt Jesu den Hirten, und eine himmlische Heerschar singt anschließend das »Ehre sei Gott in der Höhe…«.

2 **c inzensieren** von lat. incendere = verbrennen. Schon in der jüdischen Tradition glaubte man, dass Gott am Weihrauch Wohlgefallen hat.

?

3 Wie heißt das Buch, in welchem Gebete für Segnungen und Weihen verzeichnet sind?

a Lektionar
b Benediktionale
c Evangeliar
d Missale

4 Welche liturgische Farbe ist für Totenmessen vorgesehen?

a Weiß
b Rot
c Grün
d Schwarz

1 2 3 4 **5** 6 7

3 **b Benediktionale** von lat. benedictio = Segen. Wird z. B. bei Hochzeiten, Segnungen von Schulkindern und Einweihungen verwendet.

4 **d Schwarz** Als Zeichen der Trauer ist diese Farbe bei Totenmessen und am Fest Allerseelen festgelegt.

5 Wie heißt die gesteifte Leinenplatte, mit welcher der Kelch abgedeckt wird?

a Palla
b Patene
c Panatone
d Parament

6 Wann wird das Rauchfass in die Sakristei zurückgebracht, wenn bei der Wandlung Weihrauch verwendet wurde?

a nach den Einsetzungsworten
b vor dem Vaterunser
c vor der Kommunion
d beim Auszug

1 2 3 4 **5** 6 7

5 **a Palla** Mit der Leinenplatte wird der Kelch von der Wandlung bis zur Kommunion abgedeckt.

6 **b vor dem Vaterunser** Um die Gläubigen und die Ministranten zu »schonen«, wird nach dem Evangelium und vor dem Vaterunser das Weihrauchfass in die Sakristei gebracht.

?

7 Wie nennt man sakramentenähnliche Handlungen, z. B. Segnungen?

a Sakramentchen
b Sakramentalien
c Sakramentlein
d Sakramentarien

8 Was tragen die Ministranten bei einer Begräbnisfeier?

a Osterkerze
b Vortragekreuz
c Monstranz
d Gefäß mit Chrisam

1 2 3 4 **5** 6 7

7 **b Sakramentalien** Handlungen oder Dinge, die in Anlehnung an die Sakramente geistliche Wirksamkeit entfalten sollen, neben Segnungen und Weihen auch Öle, Kreuze oder die Fußwaschung am Gründonnerstag.

8 **b Vortragekreuz** Erinnert an das Geheimnis des Glaubens: Christus hat den Tod besiegt.

?

9 Bei welchem Fest steht die Eucharistie im Mittelpunkt?

a Palmsonntag
b Fronleichnam
c Allerheiligen
d Christi Himmelfahrt

10 Wie heißt es, wenn mehrere Priester am Altar Eucharistie feiern?

a Konzelebration
b Konsistorium
c Kontemplation
d Kongregation

1 2 3 4 5 6 7

9 **b Fronleichnam** von mittelhochdeutsch = Leib des Herrn. Es wird seit 1264 am Donnerstag nach dem Dreifaltigkeitssonntag gefeiert, um die Eucharistie wieder in den Mittelpunkt des Glaubens zu bringen. Oft wird eine Prozession mit der Monstranz durchgeführt.

10 **a Konzelebration** Wenn mehrere Priester die Messe feiern, können sie gemeinsam am Altar die Wandlungsworte sprechen und sich mit den Gebeten abwechseln.

11 Wie werden die Ministranten genannt, die Altardienst haben?

a Alumnen
b Akolythen
c Apokryphen
d Asketen

12 Wie heißt die flache Schale für die gewandelten Hostien?

a Patina
b Patene
c Patrone
d Patent

1 2 3 4 **5** 6 7

11 **b Akolythen** aus dem griech. = Begleiter. Sie sind zur Gabenbereitung aktiv: Altar decken, Hostienschale, Kelch, Wasser und Wein bringen sowie Wasser und Lavabotuch reichen, nach der Kommunion decken sie den Altar ab.

12 **b Patene** Die flache Schale nimmt die Hostien bei der Wandlung auf.

13 Wie heißen die Leuchterträger noch?

a Zeroferar
b Luxferar
c Candelaferar
d Flammaferar

14 Wie heißt das weiße Hemd, welches der Priester bei Andachten über dem Talar trägt?

a Tunika
b Kasel
c Velum
d Rochette

1 2 3 4 **5** 6 7

(13) **a Zeroferar** von lat. cera = Wachs und ferre = tragen. Es können beliebig viele Zeroferare an der Messe teilnehmen. Sie treten beim Evangelium an den Ambo und begleiten die Gabenprozession.

(14) **d Rochette** auch Chorrock genannt. Es wird bei Andachten, Sakramentenspendungen oder Begräbnissen getragen. Es reicht etwa bis zum Knie.

?

1 Welchem Teil der Bibel wird die erste Lesung entnommen?

- **a** aus dem Alten Testament
- **b** aus der Apostelgeschichte
- **c** aus der Offenbarung oder den Briefen
- **d** aus dem Alten Testament oder der Apostelgeschichte

2 In welchem Rhythmus wiederholen sich die Sonntagslesungen?

- **a** aller drei Jahre
- **b** aller zwei Jahre
- **c** werden jeweils für das Jahr neu zusammengestellt
- **d** jedes Jahr

1 **d aus dem Alten Testament oder der Apostelgeschichte** An den Sonntagen können zwei Lesungen genommen werden, trotzdem finden nur ausgewählte Texte des Alten Testaments Platz im Gottesdienst.

2 **a aller drei Jahre** An den meisten Sonntagen werden die Lesungen in drei Lesejahre (A, B und C) eingeteilt, Ausnahmen bestehen an bestimmten Feiertagen.

?

3 Wie heißt der Behälter, in dem die konsekrierte Hostie im Halter, der Lunula, für die Monstranz aufbewahrt wird?

a Corporale
b Collar
c Custodia
d Chrisam

4 Welche liturgische Farbe wird an Marienfesten getragen?

a Weiß
b Rot
c Rosa
d Grün

1 2 3 4 5 6 7

3 **c Custodia** (auch Kustodia) Behälter aus Metall, welcher im Tabernakel steht. Bei Verwendung der Monstranz wird die konsekrierte Hostie herausgeholt und in diese eingesetzt.

4 **a Weiß** Als Farbe der Unschuld und Reinheit ist Weiß für die Marienfeste, z. B. 1. Januar = Hochfest der Gottesmutter Maria, vorgesehen.

5 An welchem der genannten Tage kann die liturgische Farbe Rosa verwendet werden?

a Fastnacht
b Laetare
c Kirchweihfest
d Epiphanias

6 Wie heißt das breite Schultertuch, mit welchem der Priester die Monstranz anfasst?

a Velum
b Celum
c Lelum
d Pelum

1 2 3 4 5 **6** 7

5 **b Laetare** So wird der 4. Fastensonntag nach dem Eröffnungsvers (»Freue dich…«) genannt. Die liturgische Farbe soll die Freude auf das Osterfest ankündigen.

6 **a Velum** Als Zeichen der Ehrfurcht wird die Monstranz oder auch das Ziborium mit den konsekrierten Hostien (z. B. am Gründonnerstag) mit dem Velum vom Priester angefasst.

?

7 Wie heißt das schwarze Gewand, welches der Priester zu Andachten und Begräbnisfeiern trägt?

a Talar
b Messgewand
c Chormantel
d Kutte

8 Wie heißt die Predigt noch?

a Epistel
b Homilie
c Credo
d Kanon

7 **a Talar** Das mantelartige, schwarze Gewand wird unter dem weißen Rochette (Chorrock) getragen.

8 **b Homilie** von lat. homilia = Predigt. Ursprünglich für das einfache Volk gedachte Auslegung der Schriften.

9 Wie heißt der Sitz für den Priester im Altarraum?

a Sinium
b Sedile
c Sediment
d Situla

10 In welchem Zyklus werden die Texte für Lesung und Evangelium an den Werktagen gelesen?

a einjährig
b zweijährig
c dreijährig
d fünfjährig

9 **b Sedile** von lat. sedile = Sitz, Sessel. Der Priestersitz ist meist etwas herausgehoben, auch die Sitze für die Diakone, Kommunionhelfer und Ministranten heißen so: Sedilien (Mehrzahl).

10 **b zweijährig** Innerhalb von zwei Jahren wechseln die Texte aus dem Alten und Neuen Testament sowie aus den Briefen, der Apostelgeschichte und der Offenbarung und fangen dann wieder von vorn an.

?

11 Wie wird der Träger des Weihrauchfasses genannt?

a Navikular
b Zeroferar
c Akolyth
d Thuriferar

12 Wie heißt das Buch, welches in der Sakristei ausliegt und in dem Textangaben und liturgische Farben sowie die Feiertage und Heiligen enthalten sind?

a Lektionar
b Direktorium
c Benedictionale
d Missale

(11) **d Thuriferar** von lat. turibulum = Weihrauchpfanne und ferre = tragen. Er geht immer rechts vom Navikular, hält durch Schwenken die Kohle am Glühen und reicht dem Priester das Weihrauchfass, bzw. inzensiert selbst Priester und Gläubige.

(12) **b Direktorium** Hier sind alle nötigen Angaben für den jeweiligen Tag enthalten.

?

13 Wie heißt das Messgewand noch?

a Stola
b Kasel
c Rochett
d Talar

14 Wie heißt der Ministrant, der das Schiffchen mit dem Weihrauch trägt?

a Thuriferar
b Navikular
c Zeroferar
d Akolyth

13 **b Kasel** von lat. casula = Häuschen. Entstanden aus dem alten römischen Schutzmantel, der den Körper von allen Seiten umschloss. Das Messgewand wird in den jeweiligen Tagesfarben getragen.

14 **b Navikular** von lat. navis = das Schiff. Der Ministrant trägt das Gefäß mit dem Weihrauch, welches an ein Schiffchen erinnert (»navikula«). Vor dem Inzensieren wird das Weihrauchfass mit einem kleinen Löffel gefüllt.

?

1 Wie heißt das Schultertuch des Priesters, welches er unter der Albe trägt, noch?

a Humerale
b Lunula
c Vigil
d Sudarium

2 Wie heißt der Halter für die Hostie, den man in die Monstranz einfügt?

a Solara
b Lunula
c Stara
d Kometa

1 **a Humerale** von lat. umerus = Schulter. Es ist ein viereckiges Leinentuch mit 2 Bändern, welches als erstes liturgisches Gewand angelegt wird, auch Amikt genannt.

2 **b Lunula** von lat. luna = Mond. Wird zusammen mit einer konsekrierten Hostie in einem Gehäuse aus Metall, der Custodia, im Tabernakel aufbewahrt.

?

3 Welche liturgische Farbe kann durch Gold ersetzt werden?

a keine
b Rot, Grün, Weiß
c Rot, Violett, Weiß
d alle

4 Wie heißt das Kelchtuch auf Latein?

a Purificatorium
b Epiklese
c Coenaculum
d Kasel

3 **b Rot, Grün, Weiß** An besonderen Feiertagen darf Gold als liturgische Farbe diese Farben ersetzen. Keinesfalls darf Violett oder Schwarz ausgetauscht werden.

4 **a Purificatorium** von lat. purificare = reinigen. Das heute meist nur noch als Kelchtuch bekannte Tuch wird zum Reinigen des Kelches nach der Kommunion verwendet.

?

5 Wie heißt das Weihrauchfass noch?

a Depositum
b Thuribulum
c Coenaculum
d Viaticum

6 Wie heißt das Gefäß, in dem das heilige Brot den Kranken gebracht wird?

a Pyxis
b Korporale
c Kustodia
d Pileolus

5 **b Thuribulum** von lat. turibulum = Weihrauchpfanne, -altar. Selten gebrauchte Bezeichnung für das Weihrauchfass. Abgeleitet davon der Name des Trägers: Thuriferar.

6 **a Pyxis** von lat. pyxis = Büchse. So heißt der niedrige Speisekelch ohne Schaft mit einem Deckel, der u. a. für die Krankenkommunion verwendet wird (auch Krankenpyxis genannt).

?

7 Wie heißt das Gebet vor dem Sanctus?

- **a** Präfation
- **b** Benedictus
- **c** Doxologie
- **d** Homilie

8 Was ist ein Flambeau?

- **a** Gerät zum Anzünden des Osterfeuers
- **b** Fackel für die Messfeier
- **c** Lange Stange zum Anzünden der Kerzen am Hochaltar
- **d** Leuchter an den Kirchenwänden

7 **a Präfation** von lat. praefatio = Einleitungsformel. Sie besteht aus den Wechselrufen zwischen Priester und Gemeinde und dem Lobpreis Gottes. Sie endet mit dem Aufruf zum Sanctus (Heilig).

8 **b Fackel für die Messfeier** In einigen Gegenden sind neben Leuchtern auch diese Fackeln üblich, sie werden erst zum Evangelium geholt und gleich wieder weggebracht, danach zur Gabenbereitung wieder geholt und vor der Kommunion wieder in die Sakristei gebracht.

?

9 Wie heißt das Abendlob der Kirche?

a Laudes
b Vesper
c Komplet
d Angelus

10 Wie heißt der letzte Sonntag im Kirchenjahr noch?

a Allerheiligen
b Dreifaltigkeitssonntag
c Weißer Sonntag
d Christ König

9 **b Vesper** Sie ist Teil des ursprünglich klösterlichen Stundengebetes (z. T. aller drei Stunden). Die Vesper besteht im Wesentlichen aus Psalmen, Lesung, Magnificat, Fürbitten, Vaterunser und Segen.

10 **d Christ König** Am Sonntag vor dem 1. Advent feiert man den letzten Sonntag im Kirchenjahr. Es wird gefeiert, dass Christus der König der Welt ist, der aber nicht mit Gewalt, sondern durch die Liebe herrscht.

?

11 Wie heißt der Chormantel, auch Rauchmantel genannt, der bei bestimmten Festgottesdiensten und eucharistischen Segnungen vom Priester getragen wird?

a Talar
b Rochette
c Pluviale
d Habit

12 Welche liturgische Farbe gilt am Fronleichnamsfest?

a Weiß
b Rot
c Grün
d Violett

11 **c Pluviale** Ursprünglich getragen, um die liturgischen Gewänder vor Verschmutzung zu bewahren (durch das Weihrauchfass deshalb auch Rauchmantel).

12 **a Weiß** Da es ein so genanntes »Herrenfest« ist, also Christus in Brot und Wein verehrt wird, ist die Farbe Weiß vorgesehen.

?

13 Woraus besteht Weihrauch?

- **a** aus geriebenen und gepressten Zypressennadeln
- **b** aus dem Gummiharz der Boswellia-Pflanze
- **c** aus Sandelholz und Myrrhe
- **d** aus getrockneter Tamariske und Bienenwachs

14 Wie heißt das Tuch, mit dem Ministranten Bischofsstab und Mitra halten?

- **a** Velum
- **b** Pluviale
- **c** Casel
- **d** Stola

13 **b aus dem Gummiharz der Boswellia-Pflanze** Die in Arabien und Indien heimische Pflanze sondert Harz ab, welches außerdem Gummi, ätherische Öle und Bitterstoffe enthält.

14 **a Velum** Sonst vom Priester für die Segnung mit der Monstranz oder ie Prozession mit dem heiliger verwendet, darf es hier v inistranten getragen w